La Céleste Bicyclette

Roch Carrier

La Céleste Bicyclette

Théâtre

Catalogage avant publication de Bibliothèque et Archives nationales du Québec et Bibliothèque et Archives Canada

Carrier, Roch, 1937-

       La céleste bicyclette
       (10/10)
       Pièce de théâtre.
       Éd. originale: [c1980].
       ISBN 978-2-923662-19-0
       I. Titre. II. Collection: Québec 10/10.

PS8505.A77C38 2008   C842'.54   C2008-941437-3
PS9505.A77C38 2008

Direction de la collection : Romy Snauwaert
Logo de la collection : Chantal Boyer
Maquette de la couverture et grille intérieure : Tania Jiménez et Omeech
Mise en pages : Mélanie Huberdeau
Couverture : Chantal Boyer et Julie Gauthier

Cet ouvrage est une œuvre de fiction ; toute ressemblance avec des personnes ou des faits réels n'est que pure coïncidence.

Remerciements

Les Éditions internationales Alain Stanké reconnaissent l'aide financière du gouvernement du Canada par l'entremise du Programme d'aide au développement de l'industrie de l'édition (PADIÉ) pour ses activités d'édition. Nous remercions le Conseil des Arts du Canada et la Société de développement des entreprises culturelles du Québec (SODEC) du soutien accordé à notre programme de publication. Gouvernement du Québec – Programme de crédit d'impôt pour l'édition de livres – gestion SODEC.

Les Éditions internationales Alain Stanké
Groupe Librex inc.
Une compagnie de Quebecor Media
La Tourelle
1055, boul. René-Lévesque Est
Bureau 800
Montréal (Québec) H2L 4S5
Tél. : 514 849-5259
Téléc. : 514 849-1388

Distribution au Canada
Messageries ADP
2315, rue de la Province
Longueuil (Québec) J4G 1G4
Téléphone : 450 640-1234
Sans frais : 1 800 771-3022

Diffusion hors Canada
Interforum

Dépôt légal – Bibliothèque et Archives nationales du Québec
et Bibliothèque et Archives Canada, 2008

ISBN 978-2-923662-19-0

Le mot de l'auteur

Depuis combien de temps n'avez-vous pas regardé le ciel ?

Un sondage scientifique, je crois bien, conclurait qu'une grande partie de la population urbaine n'a pas levé les yeux vers le ciel depuis de nombreuses années.

Les gens doivent s'assurer où ils posent les pieds sur la terre ; il y a tant d'obstacles, tant de pièges, tant d'embûches...

Mais s'ils levaient le regard vers le ciel, alors toutes les magies deviendraient possibles.

C'est à cela que je pensais, un soir de février dernier. La tempête cinglait, et dans la neige, notre petite maison de bois se plaignait comme un bateau serré par les vagues. Ce soir-là, je mis sur le papier les premiers mots d'un monologue que je voulais écrire pour un grand comédien qui s'appelle Albert Millaire.

À notre époque où la voûte céleste est remplie d'appels comme l'était la mer au temps des Grandes Explorations vers l'Eldorado (où les hommes n'ont finalement découvert qu'eux-mêmes et c'est considérable), il me semble que ce n'est pas fuir la terre, notre pays la Terre, que d'écouter le ciel.

Chut...

Voici Albert Millaire !

Préface

d'Albert Millaire

Quand j'y suis entré, le monde de Roch Carrier débordait déjà les cadres de douze toiles de Lemieux qu'on aurait réunies comme en un large pays brumeux, avec ses taches rouges et noires.

Quand j'y suis entré, le monde de Carrier grouillait, se tordait les mains, tombait à genoux sur des planchers de bois gris plus vastes que l'espace de douze gravures de Massicotte.

J'y suis entré, dans ce monde, en lisant des romans pleins d'humour et de sang, et en mettant en scène la première œuvre théâtrale de Roch, *La guerre, yes sir!*

Depuis, les personnages de la grande fresque épique se sont mis au ralenti, dans une Beauce lointaine. Seul un petit garçon crotté, les cheveux en bataille, a enfourché sa bicyclette et est parti vers les étoiles. Il est parti pour un vol solo à rendre jaloux les plus grands héros de l'espace.

Roch m'a choisi. Je suis l'acteur de ce texte. Imaginez ma joie et ma fierté.

Quand vous lirez ce texte et que vous aurez envie de le vivre, pensez combien Carrier m'a gâté en m'en confiant la représentation scénique.

Je suis toujours dans le monde de Roch, mais ce monde m'a maintenant transporté au bout de l'univers.

Montez-vous avec moi ?

Albert Millaire

Le décor représente une chambre d'hôpital, une cellule, devrais-je dire. Une chaise. Les murs sont nus. Une fenêtre sur le ciel. Lorsque la scène s'éclaire, il faut faire comprendre que le personnage se lève pour accueillir le visiteur. Ce visiteur sera le public. Le personnage lui tend la main, lui indique une chaise où s'asseoir. Le personnage coiffe un haut-de-forme, il a encore un peu de maquillage de scène, il porte un haut de costume de scène, ce pourrait être une tunique de personnage romantique, et un pyjama à rayures. Son pied gauche est dans un plâtre. Appuyée contre le mur, une bicyclette colorée.

La Céleste Bicyclette

Texte de Roch Carrier

écrit pour Albert Millaire

L'Acteur : Ah ! vous êtes venu ! Je ne vous attendais pas.
Je suis content de vous voir ! Je ne croyais pas que vous
alliez venir. C'est mon nouvel ameublement. C'est simple, n'est-ce pas ? Dépouillé. C'est inspiré de Décormag.
Je suis content de vous voir. Ah ! j'en ai à vous raconter !
Ça me fait plaisir de voir que vous ne m'avez pas laissé
tomber malgré les circonstances. Quand les docteurs
ont déclaré officiellement que j'avais des mouches dans
la boîte à idées, je me suis dit que j'allais bientôt me
retrouver tout seul. Bien, je me trompais. Toute la journée, les docteurs font la queue pour voir mon spectacle. Ceux qui ne peuvent pas entrer, ils reluquent par le
trou de la serrure. Et je dis rien des infirmières... Merci
d'être venu. Oui, on m'a décerné mon diplôme d'idiot,

un diplôme officiel, le seul diplôme que je vais pouvoir accrocher au mur pour attendre la clientèle. D'après le diplôme signé par les docteurs – y en a qui savent écrire, parmi ces gens-là – je suis un idiot officiel, compétent. Je suis un dérangé de l'esprit, un déséquilibré des facultés mentales, un absent de la raison, un fissuré du bon sens, un inconscient de la portée de mes actes, un malade de l'imaginaire, un qui-a-perdu-l'équilibre, un cinglé, un cintré, un frappé, un louftingue, un marteau, un piqué, un sonné, un timbré, un toc-toc-y-a-t-i'-que'qu'un ? un maboul, un toqué, un dingo. Les docteurs m'ont trouvé des mouches dans la boîte à idées : de vraies grosses mouches qui me chatouillent la cervelle – et le cervelas ah ! ah ! – et qui me font des piqûres, ce qui a pour conséquence de faire enfler mes idées qui, alors, me débordent par les oreilles. Donc, depuis ce matin, je ne doute plus de moi, je suis un vrai fou... de la tendance folie douce ; je souffre d'un courant d'air entre les deux trompes d'Eustache. Merci d'être venu me voir... On dirait que les gens pensent que la déraison, ça se transmet comme la scarlatine. N'ayez pas peur, mes mouches vont rester chez moi, elles vont pas émigrer dans votre boîte à idées. Même si je suis devenu fou, je vous reconnais. Vous n'avez pas changé. Au fond, devenir fou, c'est un peu décevant : y a rien qui change. On reste comme on était avant d'être reconnu fou officiellement et les autres restent aussi comme ils étaient. On est juste un peu plus seul et le monde nous paraît encore un peu plus grand. On dit que les personnages, auxquels un acteur donne vie sur la scène, finissent par le rejoindre dans la vie réelle. Dans ma carrière, j'ai prêté plusieurs fois mon corps, ma voix, mes yeux, mes gestes, à des personnages dérangés, troublés, déraisonnables, plus ou moins dangereux. Et me voici ! Tout à coup, je suis devenu l'un de ces personnages qui a sauté la clôture entre la raison et l'irraison. Les docteurs m'ont appris que moi aussi, je suis du mauvais côté. Je n'ai même plus le droit de jouer ces beaux personnages délirants puisque j'appartiens à leur confrérie. Dans le temps où je jouais ces personnages, les spectateurs achetaient leurs billets à l'avance pour me voir traverser la scène, déguisé et peinturluré, avec les gestes déréglés que je prêtais généreusement aux idiots, avec mon regard vidé par l'idiotie, avec ma démarche d'idiot qui ne voit pas les obstacles placés réellement sur son chemin et qui en imagine d'autres qui ne sont pas là. Dans ce temps-là, il suffisait que je traverse la scène pour recevoir des applaudissements. Maintenant, quand je tourne en rond dans ma petite cellule, avec mon « esprit dérangé », comme ils disent, personne n'applaudit. Même pas les docteurs et les infirmières qui m'espionnent par le trou de la serrure. Les gens semblent aimer mieux ce qui est faux que ce qui est vrai... Mais je suis heureux que vous soyez venu... Non, non, je n'ai besoin de rien. J'ai tout ce qui m'est nécessaire. Je n'ai besoin de rien, sauf de sortir d'ici. Il y a quelques instants, avant votre arrivée, j'ai dit aux docteurs et aux infirmières : « vous croiriez pas que ça ferait du bien à mes mouches d'aller respirer un peu l'air frais ? » Les docteurs et les infirmières se sont rassemblés en rond, comme des joueurs de football, et les docteurs ont répondu, en me tutoyant, parce que ces docteurs et ces infirmières sont tous des camarades de gauche : « Tu n'y penses pas, sortir en hiver, par un temps pareil, avec tes mouches : elles vont prendre froid et attraper le rhume et peut-être pire... » Les docteurs eux-mêmes m'ont dit ça. Moi, qui les ai entendus, je dois rester à l'intérieur, mais eux, ils ont le droit de sortir !

À part ça, ma carrière est finie. Sur les scènes du pays, les rideaux se lèvent puis tombent et moi, je n'y suis pas. Partout, on récite des tirades à qui mieux

mieux, mais personne n'entend ma voix, comme si j'étais muet. Je suis enfermé ici. E*nfermé* : le mot le dit, ils ont mis des barreaux de fer autour de moi. Ils m'ont même interdit d'aller me promener à bicyclette. Est-ce qu'ils auraient peur que je m'envole ?

Vous me regardez et vous vous sentez un peu mal à l'aise. Dites pas non, je le vois dans vos yeux. Vous vous dites en vous-même : « le pauvre... » Permettez-moi de vous dire que vous vous trompez. Je serais encore capable de sauter sur une scène et de jouer... de jouer même des personnages intelligents. Donnez-moi deux minutes et je vous fais un personnage de docteur à la perfection. Je pourrais même jouer avec aisance le rôle d'un idiot. Voici, regardez-moi, je suis un docteur qui rencontre un idiot : un docteur qui a passé avec succès tous ses examens d'intelligence. Là, au milieu, un patient qui, lui, a réussi aux examens d'idiotie. Il regarde passer le docteur, avec beaucoup de respect pour l'intelligence. Je regarde passer le docteur. Lui, l'intelligent, il sort et moi, l'idiot, je reste. Vous voyez que je sais encore jouer. Je sais encore jouer, n'est-ce pas ? Ma carrière n'est pas finie, n'est-ce pas ?

Est-ce que c'est hier que j'ai eu mon accident ? En tout cas, vous voyez que j'ai pas une grosse collection d'*orthographes* sur mon plâtre. Si j'avais refusé de me donner un autographe, mon plâtre serait tout blanc, vierge, comme on dit. Vous ne savez pas combien j'apprécie que vous soyez venu ; je vais vous confier quelque chose. Malgré le traitement des docteurs et des infirmières, malgré l'isolement forcé, ma logique ne fléchit pas : elle reste droite et rigide comme une poutre d'acier. Par exemple, j'ai fait, en me rasant, la découverte suivante. Suivez-moi bien, c'est un peu abstrait, mais si moi, je comprends, vous devriez comprendre aussi. Depuis le commencement de l'histoire, les sociétés humaines ont toujours ressenti comme un besoin vital d'enfermer une partie de leurs membres. Ces sociétés, parfois, ont eu comme un désir d'enfermer tous leurs membres, en même temps, mais cela aurait pu sembler discutable, d'un point de vue démocratique en tout cas. Alors les sociétés ont inventé l'enfermement sé-lec-tif. Mais qui enfermer ? Voilà la grande question. Après réflexion, on a décidé d'appliquer simplement la loi de la rentabilité. Pour la société, je suis beaucoup plus profitable ici, enfermé, que dehors : je fais vivre des docteurs, des infirmières, des syndicalistes, des fonctionnaires, des vendeurs de médicaments, des administrateurs... C'est vrai que je me suis cassé une jambe de manière un peu particulière... En tout cas, vous avez écouté mon raisonnement et vous savez qu'avec moins de logique que moi, il y a des gens qui sont en liberté. En tout cas, je me suis cassé une jambe. Un des docteurs, celui qui sent le cigare en dessous des bras et le déodorant dans la bouche, m'a dit :

— Mon cher acteur, tu refuses de toute ta conscience ta réalité normale d'anormal, mais je vais établir hors de tout doute qu'entre les fêlures des os de ta jambe et les fissures de ta logique, il y a, dans ton moi, tout un réseau de craquelures pour ne pas dire de fissures.

J'ai répondu :

— Si vous commencez à enfermer tous ceux qui ont une jambe cassée...

Le docteur a répondu :

— Tu nous as convaincus que tu ne t'es pas infligé cette cassure en faisant du ski.

— En effet j'ai fait une chute un peu spéciale, inattendue. Je dirais : une chute un peu folle.

— Ah ! ah ! ah !, que le docteur a dit, tu avoues !

Là, je n'ai pas pu m'empêcher de reculer de trois pas et de le considérer avec mépris ; et je lui ai déclaré :

—C'est une cassure honorable, et c'était une chute rare :

Le docteur a dit :

—En effet, ce n'était pas une chute banale que tu as faite.

—Suis-je un homme banal ? que j'ai demandé. Là, il me semble que seulement les infirmières avaient l'air de comprendre.

Les docteurs avaient montré assez peu de compréhension lorsque je leur avais raconté comment je m'étais véritablement cassé la jambe ; j'ai alors décidé de leur présenter comme vérité ce que j'inventais à mesure. J'ai déclaré aux docteurs :

—Cette jambe, je me la suis cassée alors que je jouais le rôle de Jules César. Quand Brutus m'a frappé, j'ai roulé par terre et c'est à ce moment-là que ma jambe s'est cassée. Les docteurs ont voulu me prendre au mot, et ils ont répliqué :

—Tu nous avais déclaré t'être blessé à la jambe en *tombant de ta bicyclette.*

Ah ! les docteurs pensaient me tenir mais j'ai répondu avec astuce :

—Le jour où César a été assassiné, il faisait une promenade à bicyclette.

Maintenant personne ne me croit, que je dise la vérité ou que je mente.

Je suis content que vous soyez venu. Je vais vous raconter confidentiellement ce qui s'est réellement passé : je vais vous décrire exactement dans quelles circonstances je me suis cassé la jambe. Auparavant, je voudrais prendre de petites précautions ; autrement vous pourriez porter le même verdict que les docteurs. Tenez, commençons par ce qui sera le plus facile pour vous : qu'est-ce qu'il y a entre le chat et la souris ? Il y a une attirance. Entre le chien et le chat, qu'y a-t-il ? Il y a une attirance. Qu'y a-t-il entre l'homme et la femme ? Il y a une attirance. Entre la terre et l'eau, qu'y a-t-il ? une attirance. Entre l'eau et le feu, qu'y a-t-il ? Une attirance. Entre la terre et la lune qu'y a-t-il ? une attirance. Vous commencez à comprendre. Entre l'homme et la terre et la mer et la lune et le soleil et les étoiles et tous les astres et toutes les planètes, qu'est-ce qu'il y a ? Une attirance. La terre est attirée vers le ciel comme l'abeille vers la fleur. Nous, les humains, avec la terre, la mer, la lune, le soleil, nous sommes attirés vers là-bas, vers là-haut, vers ailleurs, vers l'espace inconnu. Chaque humain est un petit spermatozoïde isole qui rêve de se marier, au loin, dans les espaces inconnus, à un petit ovule planétaire... Que je sois idiot ou que je sois génial, vous ne pouvez affirmer le contraire : nous sommes *attirés par l'attirance* de l'espace inconnu. Soyez bien franc avec moi. Quand vous levez les yeux vers la voûte céleste et que vous y voyez les étoiles briller comme des millions de fleurs lointaines, dites-moi, les omoplates ne vous démangent-elles pas un peu du désir d'avoir des ailes ? N'aimeriez-vous pas, pour répondre à l'attirance de l'espace infini, avoir de grandes ailes et pouvoir vous élever, voler, monter, planer dans l'espace comme on se laisse flotter sur l'eau douce d'un lac ? Entre l'espace et nous, il y a de l'attirance. La loi de l'attirance empêche l'univers de s'éparpiller comme les bijoux d'un coffre renversé. Voilà ce que je voulais vous dire, avant de vous raconter comment je me suis brisé une jambe. Oh ! j'ai pris une bien longue précaution, mais je voulais éviter que vous me jugiez de la même manière que les docteurs. En tout cas, même vos rêves subissent l'attirance de l'espace. Répondez-moi sincèrement : pendant que vous étiez endormi, n'avez-vous jamais rêvé dans votre lit que votre corps tout à coup devenait léger, tout léger, plus léger qu'un rêve et que peu à peu les murs de votre chambre et de votre maison s'effaçaient et qu'il ne restait plus autour de vous que la voûte céleste, et que par magie, vous montiez, montiez, montiez sans pesanteur, sans obstacle, en extase, avec votre corps léger, léger, aussi léger que la nuit ? Tout à coup le vertige vous prend dans son remous, votre cœur bat trop fort, vous vous réveillez, vous retrouvez votre lit. Après, quand vous êtes rassuré, vous repensez à ce beau voyage, vous retrouvez en vous un doux frisson d'ivresse ; sur votre corps, il vous semble y avoir encore un peu de rosée rapportée de votre envolée. N'avez-vous vraiment jamais vécu cette expérience ? Les docteurs et les infirmières, ils ont fait, eux aussi, ce genre de rêve. Ils les ont analysés, et ils ont compris que ces rêves verticaux, comme ils disent, sont les fruits d'une sexualité qui exprime un désir non retenu de s'extérioriser dans des actes auto censurés par le faiseur de rêves. C'est ce qu'ils disent, les docteurs et les infirmières. En tout cas, eux aussi, comme vous et moi, comme le grain de pollen, le spermatozoïde, l'oiseau, la goutte d'eau, la plus grosse montagne et la plus géante étoile, comme le microbe le plus invisible au microscope et l'étoile la plus invisible au télescope, nous tous, avec tout ce qui existe, avec tout ce que nous ne soupçonnons pas d'exister, nous nous attirons l'un l'autre et cela forme une chaîne ; tout ce qui existe fait partie d'un engrenage invisible, c'est la chaîne, comme celle d'une bicyclette, qui tient ensemble les parties de l'univers et qui fait tourner l'une sur l'autre les diverses parties de l'univers. Les hommes sont des fœtus qui ne sont pas encore sortis du ventre de leur mère, la terre. Nous sommes attirés par l'espace inconnu comme l'enfant dans le ventre de sa mère est attiré vers l'air libre... C'est étrange : je n'avais jamais pensé à cela. C'est une idée qui vient de m'arriver comme un pigeon atterrit sur la place. Je suis vraiment content que vous soyez venu, je n'aurais jamais osé parler comme ça à personne d'autre…

Qu'est-ce que je disais ? C'est étrange : depuis quelque temps, j'ai les idées qui courent de tous côtés comme des lapins ; quand j'en suis une à la trace, je perds les autres. Pourquoi vous ai-je exposé mon système de philosophie planétaire ? Pourquoi ? Ah bon… J'allais vous raconter mon accident, comment je me suis brisé la jambe, comment les choses se sont vraiment et logiquement produites… Je sais que vous allez être tenté d'attribuer mes paroles à l'araignée que j'ai au plafond. En tout cas, je sortais du théâtre après la représentation. Peut-être vous souvenez-vous, peut-être m'avez-vous vu ? Je jouais un personnage qui avait toujours une fiole à la main et le cou aussi long que le bras pour se rendre à la fiole. Quand il était ivre, il marchait droit comme le président du cercle anti-alcoolique. Quand il n'avait pas bu, il marchait comme un homme ivre… En tout cas, je sortais du théâtre, j'avais encore un peu de maquillage au visage et j'ai sauté sur ma bicyclette pour me précipiter au restaurant *Les trois coups*. Quand ce n'est pas l'hiver, ni l'automne, ni le printemps, c'est-à-dire, pendant la deuxième semaine de juillet, j'aime bien parfois circuler à bicyclette… Donc, à bicyclette, je me dépêchais d'arriver au *Trois coups*. Derrière moi, il y avait le théâtre et le personnage que j'avais laissé dans ma loge ; devant moi il y avait la ville et au-dessus, il y avait la grande nuit, vertigineusement haute, avec les étoiles comme des projecteurs infiniment éloignés et j'ai pensé : comme il serait bon de se laisser tomber là-dedans comme on plonge dans une eau fraîche ! Il me semblait que cela aurait été encore meilleur que d'aller boire un coup. Curieusement, j'ai pensé que j'étais bien petit dans cette nuit grande comme l'éternité ; j'en ai eu le frisson. Comme j'étais minuscule ! Je n'étais rien. Si une étoile me semblait grosse comme une poussière au fond de la nuit, moi, vu de l'étoile, qu'est-ce que j'étais ? J'étais si minuscule, si léger : j'ai pensé que le moindre vent aurait pu m'emporter. Il ventait légèrement et ma bicyclette semblait ne plus rouler *sur* le macadam, mais au-dessus. Stupéfait, j'étais soulevé, j'étais emporté, je m'élevais, je montais avec ma bicyclette. C'était aussi facile de monter dans le ciel que de dévaler une pente. Je montais dans l'air comme le vent passe entre les feuilles d'un arbre. Je montais vers le plafond étoilé. Je planais. Ma bicyclette flottait sur la nuit comme un cerf-volant. Lentement, sans hâte, sans vertige, sans fatigue, j'avançais dans l'espace. En dessous de moi, il y avait Montréal. Je voyais les lampadaires des rues et des autoroutes comme de lointaines étincelles. Au-dessus, les étoiles m'apparaissaient aussi comme des étincelles. Je n'avais plus besoin de pousser les pédales. Une force m'attirait. J'obéissais, sans contrainte, comme l'aiguille de la boussole se tourne vers le nord. C'était bon. Si haut, l'air avait un goût d'eau de source très fraîche. Je ne pédalais plus et il était inutile de tenir le guidon. J'ai ouvert les bras. J'étais un papillon dans l'espace infini. En bas, l'on devait me voir scintiller comme un diamant. Je montais, je montais. Je n'étais plus fait d'os et de chair, mais j'avais été transformé pour me mieux mélanger à l'espace. En même temps je sentais toujours que j'étais moi. Dans ce grand silence, j'entendais battre mon cœur : lui aussi, il frissonnait d'être emporté dans l'espace aussi doucement que le temps file. Je glissais comme sur une neige très douce, très bleue, sans cahots, sans la véhémence de la vitesse. En bas, la terre bleue s'était confondue avec le bleu de la nuit. Longtemps, longtemps sans doute, je demeurai hypnotisé par tout cet espace inconnu. Puis la terre, qui m'avait, j'imagine, prêté à une loi d'attirance étrangère, me reprit dans son système. Aussi doucement que ma bicyclette m'avait emporté vers le sommet de la nuit, elle me ramena à la terre avec le glissement très doux d'un canot d'écorce effilé sur une eau très légère. Et je vis les étoiles des villages et des villes briller à nouveau, grossir, je retrouvai Montréal et ses lampadaires alignés, je vis surgir de la nuit des toits, des fenêtres, des rues, des voitures et des gens…

Pourrais-je croire à ce qui m'était arrivé? M'étais-je raconté à moi-même un incroyable mensonge; monter au ciel à bicyclette, y a-t-il un mensonge plus incroyable? En même temps, cet énorme mensonge était plus vrai que toutes les choses les plus vraies. J'étais vraiment monté dans le ciel et je sentais encore sur mon visage, sur mes mains, dans mes oreilles quelque chose de doux comme le pollen de l'espace. L'esprit tout abasourdi par le vertige de cette incroyable envolée, je n'avais pas aperçu devant moi le restaurant *Les trois coups*. BADABOUM! BOUM! VLAN! Ma bicyclette fonce dans la porte qui s'ouvre et moi j'atterris à quatre pattes dans le bar en faisant une pirouette olympique! Mon ami Lécuyer était là. Il venait de jouer un rôle de tapette dans une pièce féministe. Il me voit arriver.

—V'là un acteur qui soigne ses entrées, qu'il me dit.

—J'arrive de plus haut que tu penses, que je lui dis, en me plaignant: ouille ouille ouille ouille!

—Articule! articule! qu'il me dit.

—J'arrive de l'espace, que je lui annonce.

—C'est-i' un nouveau bar? qu'il me dit.

Mon ami Lécuyer, à qui rien n'échappe, a constaté avec perspicacité que j'avais de la peine à marcher. J'avais une jambe cassée. Lui il croyait que j'avais un verre de trop dans le nez. Il a ramassé ma bicyclette, il m'a ramassé et il m'a conduit au bar. Rendu là, je me suis senti comme chez moi; j'ai annoncé:

—Quand un homme revient d'un voyage dans l'espace, il faut écrire ça dans le champagne !

J'ai raconté en détail à Lécuyer mon envolée extraordinaire il m'écoutait comme vous m'avez écouté, en ne croyant pas un mot de ce que je disais. Quand mon récit a été terminé, Lécuyer a éclaté de rire :

—Pédaler jusqu'au ciel, qu'il a dit, ça c'est encore plus fort que de gagner le Tour de France. Ah ! ah ! ah ! monter au ciel en bicycle ! T'es même pas capable de pédaler jusqu'à l'église du coin ! C'est vrai, ah ! ah ! ah ! qu'avec la crise du pétrole, tout le monde a pas les moyens de voyager en fusée ! Monter au ciel en bicycle : c'est la meilleure menterie que tu m'as jamais contée. C'est tellement pas croyable qu'i' doit y avoir un fond de vérité ! J'amène ta jambe à l'hôpital, mais en taxi ; pas en bicycle !

Au département de l'Urgence, on a bien attendu trois quatre heures. Puis on a vu surgir un petit blanc-bec de docteur : deux poils de barbe et trois diplômes. Il a regardé ma jambe. Lécuyer me présente :

—C'est un ange tombé du ciel !

—Comment que tu t'es fait ça ? a demandé le Docteur Deux-poils.

—En bicyclette, quand je suis atterri du ciel. J'ai entendu le gringalet dire à l'infirmière :

—Sens-y donc l'haleine pour savoir si i' déparle parce qu'il est soûl ou parce qu'il est un cas de psychiatrie.

Hé oui ! la santé nationale est entre les mains de ces gens-là ! En tout cas, je dois dire en toute honnêteté qu'ils se sont occupés de ma jambe avec une certaine tendresse : j'avais deux ou trois fêlures. Mon plâtre était pas encore sec que j'ai vu apparaître un homme qui semblait avoir été fait par l'union d'un policier avec un curé, auxquels on aurait ajouté une pincée d'embaumeur : ça devait être un psychiatre :

—Alors, mon cher ami, on ne se contente pas d'être un grand acteur, on s'offre aussi des petits voyages verticaux, des vacances planétaires, des expéditions sidérales : tout en haut, dans le ciel, on joue à l'explorateur.

Le Psy, il salivait devant le beau cas que j'étais. Le voyant venir avec ses gros sabots, aussi gros que sa grosse tête, j'ai décidé de ruser :

—Ah ! ai-je dit, le p'tit docteur Deux-poils vous a parlé de sa promenade en bicyclette dans l'espace. Il m'en a parlé aussi de ce voyage. Ça ne me paraît pas très logique, une bicyclette céleste. Docteur, vous trouvez pas que le docteur a le regard un peu trouble ? inquiétant ? brumeux ? Il vous paraît pas un peu surmené le docteur Deux-poils ?

Malgré mon astuce, c'est moi qui reçois le traitement. Je suis sûr que ça ne fait pas longtemps que je suis ici, puis, en même temps, il me semble que ça fait longtemps. Le Psy est venu plusieurs fois me questionner :

—As-tu déjà désiré coucher avec ta mère ?... Avec ta sœur ?... As-tu déjà voulu coucher avec ton père ?...

À ses questions j'ai répondu une fois :

—Je vais vous dire la vérité, docteur, rien que la vérité : avec mon père, ma mère, ma sœur, pis mon grand-père, j'aurais aimé qu'on fasse une petite partie ensemble ! En sachant que ma grand-mère en bottes de cuir nous surveillait par le trou de la serrure !

Le Psy m'a demandé très sérieusement :

—Combien de fois par semaine ?

Alors je lui ai dit :

—Qu'est-ce qui vous intéresse le plus : vos questions ou mes réponses ?

Il a pris un air très préoccupé :

—Je veux t'expliquer pourquoi ta bicyclette n'a jamais quitté le sol ; tout le reste est imaginaire et dénote une frustration immense.

Et ça recommence toujours. Il y a aussi un énergumène qui vient régulièrement me visiter. Il essaie de se faire passer pour un patient, comme moi, mais je sais qu'il est libre, parce que souvent, un parfum de femme perce à travers l'odeur de son eau de Cologne. Il sort à l'extérieur, c'est sûr... à moins qu'il ait réussi à obtenir la compréhension d'une petite infirmière. En tout cas, l'énergumène essaie de se faire passer pour un astronaute. Ni plus, ni moins.

—Un avion, voyez-vous, M. l'Acteur, s'élève dans le ciel grâce à des propulseurs qui le poussent ; une fusée s'élève à cause de la force foudroyante produite par des milliers de litres d'essence qui explosent boum ! L'avion et la fusée ont besoin d'une puissante poussée pour échapper à l'attraction terrestre. Mais M. l'Acteur, un homme de votre talent sait bien qu'une modeste bicyclette, une pauvre petite bicyclette, un mignon petit deux roues à pédales, qui n'a même pas de cordon de vitesses, ne peut en aucune façon, ne peut pas, absolument pas, échapper à l'implacable loi de l'attraction terrestre.

L'astronaute raté ne se fatigue pas de me répéter ça.

Alors moi, je lui réponds :

—Dites-moi, qu'est-ce qui est le plus lourd : la planète Terre ou moi-même ?

Pour lui, c'est évidemment une question d'idiot et il me répond, avec un peu de mépris :

—Voyons, M. l'Acteur, la Terre est des milliards de fois plus pesante que ton corps.

—Dites-moi donc : est-il toujours vrai que le Soleil exerce une attirance sur la Terre ?

—Bien sûr, M. l'Acteur, le Soleil attire la Terre dans son orbite. Cela est bien connu.

—Alors si le Soleil est capable d'attirer la Terre, expliquez-moi donc pourquoi il ne serait pas capable de m'attirer moi, dans son orbite, moi qui suis des milliards de fois plus léger que la Terre ?

Je n'avais jamais pensé à cela auparavant : si la Terre est forcée d'obéir à l'attirance du Soleil, pourquoi moi, un homme, qui suis une poussière de la terre, pourquoi pourrais-je résister et n'être pas attiré, soulevé, emporté au fond de la nuit par la force du Soleil, ou d'une étoile, ou d'une planète ou d'un monde inconnu ? Je suis content que vous soyez venu ; j'avais envie de vous dire ces choses-là. Mais je vois bien que vous n'osez pas me croire et vous vous sentez mal à l'aise de ne pas me croire. Je vous demanderai une seule chose. Ne me croyez pas, si vous ne le pouvez pas, quand je vous raconte mon aventure. Mais s'il vous plaît, croyez-moi lorsque je vous assure que je n'oserais pas vous mentir...

En tout cas, je sais qu'un soir j'ai été arraché, emporté sur ma bicyclette dans l'espace, haut, si haut que je ne savais plus quelle bille brillante était la terre parmi les autres billes brillantes que j'apercevais. Je n'ai pas eu peur et je n'ai pas eu froid, je me souviens seulement que c'était délectable. Je vous assure que ce n'est pas un rêve. Vous êtes persuadé, comme je le serais à votre place, que rien de cela n'est possible, que rien de cela ne peut arriver... Rien d'extraordinaire non plus ne peut arriver à la petite feuille bien attachée à son arbre ; soudain survient un coup de vent et la petite feuille se détache de sa branche, elle est prise par le vent qui l'emporte, elle vole comme un oiseau, elle cabriole dans l'air, elle s'élève très haut et elle plane et elle virevolte, libre, éblouie, puis elle redescend vers la terre, mais pour tomber dans une rivière où elle nage comme un poisson et avec l'eau elle court vers le fleuve, le grand fleuve avec des vagues qui la balancent, qui jouent avec elle dans cette eau qui a déjà un peu le goût de la mer. N'est-ce pas pour la feuille un voyage extraordinaire ?

Rien d'extraordinaire ne peut-il arriver à une petite feuille dans son arbre ?... L'homme n'est-il pas, comme la feuille, rattaché à la terre pour une saison ? En tout cas, nous vivons dans l'extraordinaire. Le simple fait de respirer n'est-il pas extraordinaire ? Nous devrions nous étonner à chaque respiration. Le simple fait de lever le bras n'est-il pas extraordinaire ? Les docteurs vous expliqueront qu'il s'agit là d'un geste quasi mécanique dans lequel des ondes émises par le cerveau ordonnent aux muscles d'un réseau sélectionné automatiquement par le cerveau de se contracter d'une certaine manière bien définie. Qui peut savoir si le cerveau lui, qui semble commander au bras, n'est pas dirigé par une loi inconnue ? Quand je lève le bras, j'obéis peut-être à une force émise d'une autre planète, ou d'une étoile ou d'ailleurs. Il se peut que le geste de bouger un bras, de baisser une paupière, soit commandé par des formes diverses d'attraction dont la source est en un lieu encore inconnu. J'ai lu dans un magazine – probablement l'avez-vous lu aussi ? – que l'homme avec ses ordinateurs, ses télescopes, ses satellites, ses sondes spatiales n'aurait pas réussi à explorer plus loin que la profondeur de son nombril. Comment alors peut-on refuser ce qui semble extraordinaire ? Ce qui apparaît extraordinaire ne l'est peut-être qu'à cause de notre ignorance... Regardez bien ! Si je pose un crayon sur une table et si je renverse la table, qu'est-ce qu'il arrive ? Le crayon tombe sur le plancher. Sa chute est interrompue par le plancher. Et s'il n'y avait pas de plancher ? Le crayon ne serait pas arrêté . ... Bien. La nuit, la terre ne tourne-t-elle pas le dos au soleil ? C'est comme une table renversée, et moi, à bicyclette, je tombais comme le crayon et il n'y avait pas de plancher pour interrompre ma chute... C'est ainsi, très simplement, que mon voyage s'explique ! Je suis content que vous soyez venu me voir ; vous raconter cette histoire, c'est comme me la raconter à moi-même : je n'oserais pas me mentir. Les docteurs et les infirmières me font douter de ce que j'ai vraiment vécu mais il y a une autre chose que je n'oublierai jamais : j'étais très haut dans le ciel et il me semble que mon cœur palpitait comme une étoile... Une étoile !

Dès que j'ai été hospitalisé, les journalistes qui se spécialisent dans la vie trépidante des artistes de la scène, du cinéma et de la télévision sont venus se pencher sur ma tragédie. Moi et mes béquilles, on a fait plusieurs premières pages. Il m'est interdit de lire les journaux, mais j'ai vu partout dans les couloirs, derrière les guichets, au fumoir, les infirmières qui dévoraient ces articles. J'ai ramassé des bribes ici et là et j'ai compris mon drame. D'après les journaux, j'étais un peu entre deux vins, un peu pompette, comme d'habitude, à ce qu'ils disaient ; je me promenais à bicyclette dans cet état et je serais allé me frapper la tête dans la porte d'un bar. En me cognant la caboche, j'aurais vu des étoiles, et depuis ce temps-là je m'imagine avoir fait un voyage interplanétaire. Quand on lit ça, ça a quasiment l'air vrai. J'ai quasiment envie d'y croire. C'est plus facile à croire qu'autre chose... En tout cas, à cause de ma jambe cassée et à cause, surtout, de mon coup sur la tête qui m'aurait fait voir des étoiles, tous mes contrats de théâtre ont été annulés. Les directeurs de compagnie ne sont pas rassurés par la mémoire d'un acteur qui se souvient d'être allé visiter l'Espace inconnu à bicyclette ! Avant mon voyage, je tenais un rôle dans un télé-feuilleton. Savez-vous ce qui est arrivé à mon personnage ? L'auteur a enfermé mon personnage à double tour dans une institution psychiatrique parce que mon personnage a aperçu des extra-terrestres qui se promenaient à bicyclette !

Je suis presque toujours seul. Des soirs, j'ai l'impression d'être le seul acteur sur la scène d'un grand théâtre vide. Quand ils auront réussi à me convaincre que je n'ai jamais fait ce voyage sur ma bicyclette, que je ne me suis jamais envolé dans l'espace inconnu, quand j'aurai réussi à me convaincre que je n'ai pas succombé à la loi mystérieuse de l'attirance, quand j'aurai réussi à me convaincre que je n'ai jamais réalisé ce rêve de tout homme de voler libre, léger, heureux et détaché de son poids terrestre, alors les docteurs et les infirmières me libéreront. Ici, enfermé, je suis plus pesant qu'une pierre.

En tout cas, si on avait dit à ma femme que je suis « tourné maboul », elle serait venue. J'en suis persuadé. Elle ne venait jamais me voir au théâtre ; elle n'aimait pas beaucoup le théâtre, ma femme : elle, c'était le football qui l'intéressait. Elle m'avait donné, un jour de Noël, un pyjama de soie et une paire d'épaulettes... Il me semble qu'elle m'aimerait dans mon rôle d'homme à la jambe cassée qui a déboulé dans l'escalier du ciel et qui a été ramassé par des infirmières et des docteurs. Véronique, elle n'aimait pas me voir au théâtre mais quand je rentrais à l'appartement, j'avais la sensation qu'elle n'aimait pas me voir là non plus. L'appartement, je l'avais fait décorer à son goût. Selon ses plus subtils désirs. Ce qu'elle désirait se trouvait toujours dans la dernière livraison des magazines de décoration. Et, le mois suivant, avec l'édition suivante des magazines, l'appartement était tragiquement désuet :

—Crois-tu que les grands acteurs, qu'elle me disait, les vrais, vivent dans des décors archaïques comme des retraités du bureau de poste ?

Je rachetais du papier-tenture et des meubles d'avant-garde qui seraient surannés le mois suivant. J'ai épuisé toutes les sources de crédit possibles, même

les larmes que je versais sur la scène étaient hypothé-
quées. Véronique changeait le papier-tenture pour,
disait-elle, « donner de l'espace ». Pendant ce temps-là,
les vrais murs, les murs de l'univers, étaient plus loin
qu'on ne saurait même l'imaginer, tout enjolivés d'étoiles que personne ne verra peut-être jamais. Ses maudits
meubles « au design révolutionnaire », je ne les voyais
jamais car je ne rentrais plus à l'appartement. Chez moi,
c'était une cage aux lions décorée selon les derniers raf-
finements du goût mensuel. Un homme et une femme
se rencontrent par hasard, parce qu'il pleut, parce qu'il
vente, parce qu'il neige ; on parle un peu, on s'aperçoit
qu'on se dirige dans la même direction, on marche ensemble pendant quelques pas, quelques jours ou quelques années. Puis ensuite on ne va plus dans la même
direction. Nos trajectoires s'éloignent ; ce n'est pas un
drame, c'est la vie. On est un peu nostalgique : quand
un homme et une femme sont l'un près de l'autre, il se
produit toujours une chaleur un peu précieuse, atten-
drissante. Là-haut dans l'Espace inconnu, où je suis allé,
malgré ce qu'ont pu vous dire les docteurs et les infirmières, et malgré ce que vous pensez, à chaque millième
de seconde, il y a des millions de planètes et de galaxies
qui se rapprochent, tournent ensemble quelques tours
et se séparent... Chaque être, chaque étoile, suit sa propre trajectoire et ne peut l'infléchir durant sa grande
chute dans l'Espace inconnu. La seule fois que ma
femme m'a vraiment accueilli avec joie, avec tendresse
même, et avec une fierté apparente, c'est le soir où j'ai
aperçu un inconnu installé à la table de la salle à dîner,
à ma place ; et devant mon fauteuil préféré, il y avait ses
pantoufles d'inconnu. Elle m'a pris dans ses bras avec
une douceur maternelle... Véronique et moi, on pensait se détruire mutuellement alors qu'on essayait plutôt
gauchement de s'aimer. Chaque injure était en réalité

une manière de se dire des mots tendres. Chaque coup... Ici, cette coupure au-dessus de l'œil et cette bosse : ouais, c'est un coup d'aspirateur électrique. Ça m'a tout à coup éclaté dans le visage comme une bombe. J'ai vu mon sang couler sur le tapis beige neuf. Attaqué, je devais me défendre. J'ai saisi le banc de piano et je l'ai expédié à Véronique. Foudroyant !... Ah ! ce qu'on pouvait s'aimer ! On croyait s'assommer : au fond, on se faisait de subtiles caresses... Comment voulez-vous que Véronique croie que je me suis envolé entre les galaxies ? Elle refusait de croire que j'avais été retenu dans un embouteillage à l'intersection de Dorchester et Saint-Laurent. Je puis vous dire que là-haut, si on regarde en bas, on ne voit pas très bien, à observer les gestes des terriens, s'ils se font la guerre ou s'ils se font l'amour. Pareillement, quand on regarde certains documentaires à la télévision, il est difficile de dire si certains insectes sont en train de se dévorer ou de s'aimer. Un couple, comme on dit, réussi, est peut-être formé de deux êtres occupés à se dévorer... Véronique et moi, on s'est aimés ! L'inconnu assis à ma place dans la salle à dîner. Ses pantoufles devant mon fauteuil. J'ai compris que notre roman était terminé. J'ai seulement dit à Véronique :

— Je te laisse tout, mais je pars avec mes scrap-books.

La vie d'un acteur passe dans le temps comme un reflet de lumière dans l'eau qui coule. Qu'est-ce qu'il reste d'un acteur ?

— Tes scrap-books, a dit Véronique, je les ai jetés au feu.

À voir la pâleur de son visage, j'ai su que Véronique ne mentait pas. Elle a ajouté, avec une colère éteinte :

— Je les ai brûlés pour te faire mal le jour où je me suis aperçue que tu me faisais surveiller par un détective privé.

C'est ainsi que toute ma vie d'acteur a été changée en fumée. Mais il reste que Véronique et moi, on s'est aimés comme on aime rarement. Exceptionnellement. Si elle savait que je suis détenu ici... Elle n'accepterait jamais qu'on enferme un homme.

Je suis heureux que vous soyez venu. Autrement je ne puis parler qu'aux docteurs et aux infirmières ; à force de les voir analyser ce que je dis, questionner ce que je pense, retourner mes moindres phrases, me pousser dans les contradictions, m'obliger à me répéter, je doute de tout ce que je dis. J'ai l'impression que mes paroles perdent leur sens comme des seaux troués perdent leur eau. Je ne fais plus la différence entre ce dont je me souviens et ce que j'imagine. En tout cas, je sais qu'un soir, ma bicyclette et moi, nous avons quitté la terre ; je sais que nous sommes montés dans l'espace ; autour de moi, très loin et très près à la fois, il y avait, comme dans un champ de marguerites, des étoiles ; je n'avais pas le vertige, je n'avais pas peur, j'étais léger, je n'avais plus d'inquiétude dans mon âme et je n'avais pas de souffrance dans mon corps. Je sais que par la loi de l'attirance, j'ai été emporté dans l'espace, pour un voyage si extraordinaire qu'il me paraît incroyable de m'en souvenir... Quand je serai convaincu de n'avoir jamais quitté la terre, je serai guéri. Mais je sais aussi que là-haut, je n'étais plus tout à fait moi car j'avais déjà commencé à ressembler à un rêve, le rêve que tout homme, que toute femme fait, de ne plus ramper sur la terre comme un ver, mais de sortir de la terre, de s'échapper loin, haut, de sortir de la terre comme l'enfant veut sortir du ventre de sa mère, de grandir dans l'Espace inconnu. Y a-t-il un homme, y a-t-il une femme qui n'ait jamais rêvé de sauter d'étoile en étoile, d'aller de l'autre côté de la nuit, de se rendre jusqu'au bout de l'univers ?

Dans l'univers, nous sommes de microscopiques, d'infimes étincelles. Nous sommes peut-être seuls à savoir que nous existons. Mais ces étincelles que nous sommes savent que nous faisons partie d'une vaste construction, d'un univers organisé. Aveuglément presque, à tâtons, nous essayons de chercher à *quoi* nous appartenons ou à *qui*.

Il n'est donc pas idiot, il est même très logique que moi, une légère, très légère étincelle de vie, moi, une toute petite cellule, j'aie été enlevé comme une poussière et charrié vers un endroit là-haut qui m'a semblé bien loin, mais qui peut-être était tout simplement chez moi, mon milieu naturel... Ouf ! Ouf ! Ouf ! la cervelle me gigote comme l'eau dans une bouilloire électrique... Jamais je n'ai pensé aussi fort... Si j'ai les idées aussi chamboulées, est-ce que ce ne serait pas la preuve que j'ai vraiment fait cette envolée dans l'espace infini ? C'est ça ! J'ai été exposé à un rayon particulier, à une onde spatiale, qui active mes idées comme des atomes libérés.

En tout cas, l'homme est dans l'univers comme dans une maison qu'il n'a jamais vue de l'extérieur, une maison dont il n'a visité qu'une pièce alors qu'elle en a peut-être des millions. N'est-il pas normal, alors, de vouloir entrebâiller quelques portes ? L'univers, on ne sait pas comment il est grand, on ne sait même pas quelle forme il a... L'univers est peut-être un gros chat... Vous souriez ? La cellule au bout de l'ongle de votre index sait-elle beaucoup de choses sur la manière dont vous êtes fait ? Supposons que l'univers est un gros chat et que moi, je suis, comme vous, une petite cellule de ce gros chat : ne serait-il pas normal que je navigue dans le sang, dans les os, dans la fourrure de ce gros chat ? Quand je me suis élevé sur ma bicyclette vers les étoiles, je n'étais qu'une très légère et très minuscule cellule qui suivait tout simplement le courant du sang dans le corps du gros chat-univers. Ce gros chat, personne ne l'a vu car nos yeux sont déficients ; comme ceux de la petite cellule au bout de mon ongle. J'ai réellement fait ce voyage fantastique. Mais vous aussi, vous avez déjà fait d'étranges voyages. Savez-vous où vous allez lorsque vous dormez ? Parfois vous rapportez de votre sommeil des souvenirs comme d'étranges photographies de voyage, mais la plupart du temps vous ne pouvez vous souvenir même d'avoir voyagé. Cette exploration de la nuit n'est-elle pas troublante aussi ?... Est-il plus extraordinaire de dire : « j'ai fait une plongée à bicyclette dans l'espace inconnu » ou bien de dire : « je me souviens que lorsque j'avais cinq ans, j'allais chez ma grand-mère qui me gavait de sucre à la crème fondant » ? Qu'est-ce qui est le plus réel : retourner dans le passé où tout est effacé, nos gestes, nos paroles, nos corps même, ou bien voyager dans l'espace qui existe là tout autour ?

Comment les docteurs peuvent-ils être si assurés que l'homme n'a pas, comme les marionnettes, des fils attachés à chacun de ses membres sur lesquels un grand manipulateur tire pour que la marionnette, un soir, s'élève avec sa bicyclette et monte vers les étoiles ? Comment les docteurs peuvent-ils scientifiquement enfermer la marionnette en déclarant qu'elle est idiote d'avoir des fils ?

En tout cas, je connais un homme qui pourrait me faire sortir d'ici. Un seul mot de lui, et je serais libre. Cet homme était venu dans ma loge, une fois, après le spectacle. Ce soir-là, le Premier Ministre m'a serré la main, il m'a félicité avec les mots qu'on dit dans ces circonstances-là. Il m'a posé des questions sur mon métier ; je lui en ai posé sur le sien. Tout à coup il m'a déclaré :

—Ce n'est pas le théâtre qui ressemble à la vie, c'est la vie qui ressemble au théâtre.

Moi j'avais, toujours par précaution, une bouteille de champagne dans mon placard :

— Monsieur le Premier Ministre, sablons le champagne en l'honneur du théâtre !

Il m'a pris la bouteille des mains et il m'a dit :

— Depuis que je suis Premier Ministre, je découvre qu'il y a tant de choses à célébrer : je pourrais être soûl tous les soirs de l'année ! Je vous sers le champagne mais je boirai un verre d'eau.

Puis il m'a dit quelque chose qui m'a paru étrange :

— Est-ce qu'il est plus difficile pour un acteur de jouer les personnages purs ou les personnages corrompus ?

Je me suis rappelé quelques personnages que j'avais joués durant ma carrière, les heures de lectures pour analyser et apprendre le texte, les mois de répétition, et j'ai dit :

— Pour l'acteur, être corrompu ou être pur, c'est la même chose.

Le Premier Ministre a dit :

— Ce que vous me confiez là est troublant, troublant...

L'homme peut donc être, avec la même facilité, un saint ou un criminel...

— C'est la pièce, Monsieur le Premier Ministre, qui fait toute la différence.

— C'est troublant, a-t-il répété.

Qu'est-ce qu'il voulait dire ? Il s'est levé pour sortir et m'a tendu la main, disant :

— Vous et moi, nous sommes deux acteurs. Mais vous, vous connaissez votre pièce, tandis que moi, je l'improvise chaque jour.

Dans la porte, me tenant par l'épaule, il a dit très fort, sans doute pour être entendu par l'escorte des journalistes dont les flashes crépitaient :

— Le tort des gouvernements est de trop écouter le Grand Intendant de la Taille, de la Gabelle, de la Finance et des Impôts mais pas suffisamment le Fou du roi.

Et il a ajouté pour moi :

— Si je puis vous être utile, téléphonez-moi.

Pour quelques instants, nous avions été, le Premier Ministre et moi, d'égal à égal.

Je vais lui téléphoner. Le Président des États-Unis et le Président de la Russie reçoivent personnellement leurs astronautes quand ils reviennent du ciel. Le Premier Ministre va accepter de me voir ; moi aussi je reviens de l'Espace. Il est vrai que j'ai fait le trajet à bicyclette. Ça, il n'aimera pas ça. Mais je vais lui expliquer. Je l'appelle. Je fais le zéro. R-RR-R-R-R-R-R-R-R-R-R. Allô Mademoiselle. Donnez-moi, s'il vous plaît, le Premier Ministre au Parlement de Québec... Oui, c'est ça, le Premier Ministre et je me plaindrai à lui si vous me faites attendre trop longtemps... Merci... Allô ! Le Bureau du Premier Ministre... À quel sujet ? C'est secret, même plus : ultra secret... Qui l'appelle ? C'est un ami... personnel... un acteur... un acteur de théâtre... Quoi ?... Vous voulez transmettre mon appel aux Affaires culturelles ! Je refuse ! Mademoiselle, est-ce que je suis une vieille chose morte ?... Non, ne raccrochez pas... Je ne puis vous dire à quel sujet... Mademoiselle, je ne suis pas sexiste, mais je note en passant que vous êtes curieuse comme une femme ! Ne raccrochez pas !... Tout ce que je peux vous dévoiler c'est que mon téléphone concerne... les voyages... interplanétaires... Vous voulez transférer mon appel au ministère des Transports ! Non... Tous les circuits sont occupés ? Je ne vous crois pas, Mademoiselle, mais je vous rappellerai plus tard...

Derrière la porte, il doit bien y avoir un docteur et une infirmière qui m'espionnent. Chaque fois que je téléphone à quelqu'un, ils m'analysent, m'observent, à travers le trou de la serrure, ils prennent des notes. L'autre jour, le Psy m'a demandé un peu condescendant :

— Y a-t-il longtemps que tu essaies de téléphoner sans appareil ?

J'ai répondu :

— Un bon acteur peut se passer d'accessoires. Le geste, la mimique, vous connaissez ça ?

Le Psy a souri avec encore plus de condescendance :

— Ça vous paraît normal de téléphoner sans le téléphone ?

— S'il est possible d'aller à bicyclette dans l'Espace inconnu, pourquoi est-ce que j'aurais besoin d'un appareil pour téléphoner ?

C'est logique !... Si j'étais russe ou américain, le Premier Ministre m'aurait déjà accueilli en audience privée. Dans ces pays-là, on sait que la vraie vie est dans l'Espace. Je sais maintenant, moi, que les véritables racines des hommes s'étalent dans le ciel, agrippées à l'inconnu. Voilà ce qu'il est de mon devoir d'annoncer au Premier Ministre. Mais il est bien occupé par son théâtre. Je voudrais seulement lui dire que, sur ma bicyclette, là-haut, j'ai aperçu la vie comme elle est : une petite poignée de billes étincelantes lancées dans la nuit. Par quelle main ? Alors vous, Monsieur le Premier Ministre, petite bille parmi les autres billes qui s'attirent et se repoussent, s'entrechoquent et se propulsent les unes les autres dans un hasard qui ne se comprend pas lui-même, de quoi avez-vous l'air avec vos petites lois ?

M'avez-vous entendu penser ? C'est extraordinaire. Je suis atteint, messieurs les docteurs et mesdames les infirmières, d'une accélération des idées. Mon cerveau ressemble à une rue embouteillée miraculeusement transformée en piste de course. C'est fantastiquement extraordinaire. Pendant mon voyage, j'ai dû être atteint par un rayon électrique qui a décuplé la puissance de mon cerveau. Je pense ! Je pense ! Au secours ! Je pense ! Je n'ai jamais autant pensé ! Je pense plus que toute une université entière. Je pense. Messieurs les docteurs et mesdemoiselles les infirmières, veuillez consigner à mon dossier cette preuve additionnelle et irréfutable que j'ai réellement fait ce voyage dans l'Espace inconnu, assis sur ma bicyclette, « les ailes toutes grandes ouvertes », les pieds sur les pédales et que je roulais dans le ciel comme on roule par un clair dimanche matin d'été sur la rue Sainte-Catherine.

En tout cas, je ne comprends pas pourquoi je ne téléphone pas à ma femme. Rien, non vraiment rien, ne m'empêche de l'appeler. Nous nous sommes tant aimés. Dans le grand ciel que nous habitons, Véronique et moi avons été des planètes qui se sont approchées l'une de l'autre, en suivant les lois de nos trajectoires, et, en suivant les lois de nos trajectoires, nous nous sommes éloignés. Autrefois, quand je rentrais à la maison, j'étais heureux de voir Véronique. Elle m'écoutait jusqu'à la fin et elle disait : « Musset ! » ou bien « Shakespeare ! » ou bien : « Giraudoux ! » Tout ce que je lui disais lui paraissait être du théâtre. Elle pensait toujours que je jouais la comédie. Tenez, l'autre soir, c'était un peu avant mon voyage dans l'Espace inconnu, je me suis dit :

— Ça suffit ! Il y a un homme dans ma maison, il s'est emparé de ma place à la table, il a accaparé mon fauteuil de lecture, Véronique a décidé de l'installer dans son lit, à ma place ; je me suis dit : c'est assez ! Il faut crever l'abcès avant que la situation ne s'envenime.

J'ai loué une carabine dans une taverne et je suis arrivé à mon appartement avec la carabine chargée, j'ai poussé la porte et je suis entré, le doigt sur la détente. Véronique a pensé, naturellement, que je jouais la comédie. Elle m'en a même accusé, publiquement, devant mon remplaçant. Elle refusait de croire que j'allais la tuer. J'avais beau le lui jurer, elle croyait que je lui jouais une scène de théâtre. Dans ces conditions, j'ai été forcé de tirer. Plusieurs fois, plusieurs coups. J'ai crevé le plâtre du plafond, j'ai percé des hublots dans les murs en gyproc. Je n'ai pas laissé une fenêtre intacte… Véronique et moi, ah ! ce qu'on s'est aimés ! Ce que j'aimerais refaire avec Véronique ce voyage dans l'Espace inconnu ! Elle serait assise avec moi sur ma bicyclette, accrochée à moi, avec les étoiles en bas comme un champ de marguerites et sa robe frissonnant au doux parfum du ciel et tout à coup, très haut dans l'espace inconnu, elle se tournerait vers moi et elle dirait : « Je n'y crois pas, c'est du théâtre ! »

Vous vous apprêtez à me quitter ? Vous allez revenir, n'est-ce pas ? Ils ne me laisseront pas sortir avant que j'aie oublié mon voyage. Mais comment oublier cela ? L'homme peut-il oublier son désir de crever le plafond de la nuit ? Un soir, miraculeusement, j'ai comblé, satisfait ce désir. Pourrai-je jamais l'oublier ?

En tout cas, je ne veux pas oublier. Un soir, sur ma bicyclette, comme si elle avait été un oiseau de légende, j'ai vogué dans l'espace inconnu où s'épanouissaient des milliers de fleurs de lumière, je me suis rendu là où l'air est une drogue délicieuse. L'histoire chrétienne a rêvé du ciel depuis des siècles. Je suis peut-être allé au ciel sans mourir. Quand je suis redescendu sur la terre, on m'a enfermé, mais je sais que là-haut, quelqu'un m'appelle, je sais qu'un jour la loi de l'attirance va être plus forte que tout ce que l'on connaît, je sais que mon corps va se faire léger et je sais que sur ma bicyclette, je vais remonter dans l'espace inconnu, je sais que mes roues tourneront dans les galaxies comme elles ont tourné dans les rues de Montréal, je sais que je voyagerai encore à la vitesse de la lumière. Messieurs les docteurs et mesdemoiselles les infirmières, vous n'effacerez pas de mon esprit que l'homme est un animal mal adapté à la terre, mal adapté à sa pesanteur, mal adapté à sa lenteur, vous ne me ferez pas oublier que l'homme est un rêve mal adapté à la réalité, vous ne me ferez pas oublier que l'homme est soumis à la grande loi de l'attirance vers l'inconnu. Je ne sais pas qu'est-ce qui m'attire, je ne sais pas qui est-ce qui m'attire, mais je sais que mon vrai pays est là-haut dans l'espace inconnu. C'est là-haut dans cette patrie lointaine et inconnue que j'ai mes vraies racines. C'est de là que vient la sève qui me fait vivre. Je ne pousse sur la Terre que pour le temps d'un sourire. À la tombée du rideau, quand le sourire sera figé dans mon masque définitif, je ne serai mort que sur la terre. La vie encore s'agitera jusqu'au fond de l'espace inconnu dans ces racines invisibles qui plongent jusqu'on ne sait où et qui nous rendent éternels. Croyez-moi, messieurs les docteurs et mesdemoiselles les infirmières, vous ne pourrez jamais m'empêcher d'enfourcher ma bicyclette et de fuir cette terre qui n'est pas très belle à voir, où les hommes s'emploient à s'enfermer les uns les autres. Il y a là-haut une place pour l'homme qui refuse une différence entre le rêve et la réalité.

Un jour, vous reviendrez me voir et vous apprendrez que je ne serai plus là. Les infirmières vous diront que je suis guéri. Ne croyez pas que j'aurai accepté de me laisser convaincre que je n'ai jamais fait ce voyage dans l'espace. Croyez plutôt que je me serai enfui et que très haut, très loin, dans l'espace inconnu, je me rappellerai la Terre et que je ne saurai plus si la Terre est une réalité ou bien si elle est le fruit de mon imagination... Paisiblement, je pédalerai sur le fil tendu d'astre en astre. Petite cellule infime, j'aurai peut-être appris à quel corps gigantesque j'appartiens. Ce soir-là, observez le ciel avec un peu de tendresse pour moi.

Je vous suis reconnaissant d'être venu. Vous m'avez vu jouer tant de personnages sur la scène, vous avez vu sur mon visage tant de maquillages différents ; je vous assure que je suis un homme simple, un homme qui, comme tous les autres, s'emploie à jouer son rôle dans l'univers. Ne croyez pas les docteurs ni les infirmières ; je ne suis pas malade, mon cerveau n'est pas dérangé. Je suis un homme seul, un homme simple, un homme qui peut vivre sans maquillage. Je voudrais... Puis-je vous inviter, sincèrement, à monter avec moi, sur ma bicyclette ? Je sais que vous aussi, vous avez rêvé de voler très haut dans l'espace inconnu, vous savez vous aussi que ce territoire lointain est le vôtre... Rien ne vous l'interdit, sauf votre pesanteur terrestre. Or je sais, moi, que l'on peut échapper à la Terre. Accepterez-vous de venir avec moi ? Nous monterons très haut, mais n'ayez pas peur. Si vous venez, vous allez enfin naître. Acceptez-vous mon invitation ? Montez avec moi, venez...

(L'Acteur monte sur sa bicyclette.)

Postface

d'Henri Barras

Choisir une pièce, pour un directeur artistique, n'a rien d'héroïque, mais toujours est-il que la décision de créer, au Café de la Place, *La Céleste Bicyclette* de Roch Carrier est liée à un événement qui se situe au moment de la création par le TNM des *Oranges sont vertes* de Claude Gauvreau. À cette époque, pour des raisons impérieuses, je voulais obtenir le texte de cette œuvre qui allait être portée à la scène. J'étais alors directeur des expositions au Musée d'art contemporain de Montréal et Roch Carrier, secrétaire général de la Fondation du Théâtre du Nouveau-Monde. Obtenir ce texte paraissait un désir bien suspect puisque mes requêtes répétées aboutissaient toujours au même refus. Jusqu'au jour où ma secrétaire, sur les conseils de son frère, lui-même écrivain, s'adresse à Roch Carrier qui, vingt-quatre heures après, me remit le texte tant souhaité, comme si le poète maudit n'avait pas à être, de surcroît, clandestin.

Les artistes décidément ne seront jamais compris que par des artistes !

Et c'est ainsi qu'avant de découvrir le romancier Roch Carrier, j'ai découvert un homme qui a le respect des poètes et l'amour du théâtre. Et, parlant de théâtre, il faut revenir à *La Céleste Bicyclette*, mais il faut maintenant parler de son interprète, Albert Millaire. Le temps glisse encore et la naissance du Café de la Place doit être évoquée pour que cette filiation s'éclaire. Dès l'instant où l'existence de ce café-théâtre m'a été assurée, je me suis mis en quête d'une première saison. Il restait peu de temps avant l'hiver et août, comme je l'imagine, blondissait déjà les blés dans les champs. À Montréal, les trottoirs de la rue Sainte-Catherine étaient secs et le plâtre des faux-plafonds qui s'écroulaient dans la boutique qui allait devenir théâtre rendait l'air encore plus rare. Les projets que j'échafaudais avec monsieur Gérard Lamarche – qui a toujours permis à mes enthousiasmes de naître, les a soutenus plusieurs fois et souvent suscités – se sont cristallisés sur l'interprète, chef de troupe et créateur qu'il nous fallait pour inaugurer ce lieu nouveau. Albert Millaire s'imposait autant à la raison qu'au cœur et c'est au Club Saint-Denis, à l'invitation de monsieur Lamarche que je l'ai rencontré et lui ai proposé d'ouvrir ce nouveau théâtre. Pris de court, un peu ému, grave devant le temps imparti et enthousiaste devant l'événement, Millaire demanda un temps de réflexion. Quelques jours plus tard, à mon bureau, il se plaint du temps qui ne nous permet pas de commander une œuvre pour l'occasion. Il propose Tchekhov ou Musset. À cause de *Lorenzaccio*, j'ai choisi Musset. Et ce fut *Il faut qu'une porte soit ouverte ou fermée* et *Un caprice* avec Catherine Bégin, Lucie Saint-Cyr, Albert Millaire et Benoît Dagenais. Un décor à construire, des meubles d'époque à emprunter, des costumes à refaçonner, des perruques à modeler et voilà le premier budget d'un café-théâtre éventré ! Toute l'équipe est prête à tous les sacrifices, mais personne ne veut lésiner sur la qualité de la présentation. La scène de trois mètres sur six exige le minimum d'accessoires, mais la proximité du public réclame des matériaux sans trompe l'œil, la précision des coupes des costumes, et le modelage parfait des perruques. Le budget sera donc défoncé et Albert Mil-laire, qui s'en excuse, offre d'apporter, pour la fin de la saison, une production à un personnage, sans décor ni costumes. Généreux Albert qui offre de l'or au cours d'aujourd'hui, dans un écrin de vermeil !

Tous les amis sont présents, le soir de la première, le 6 novembre 1978. Le théâtre est neuf, le public cha-leureux, le spectacle pétillant. À la fin des saluts, l'émo-tion est à son comble, alors qu'Albert, grave, remercie les responsables de cette initiative qui donne à Mon-tréal un nouveau lieu pour le théâtre. Je sers beaucoup de mains et je rencontre, pour la première fois, Roch Carrier, assis à la table quatorze, en compagnie de sa femme, la douce dentellière. Une émotion intense m'en-vahit. Il me dit aimer ce petit théâtre ; je ne pense qu'au texte de Claude Gauvreau ; je ne sais plus dire merci ; je n'ose parler de ses livres que j'aime. Ai-je à voix haute souhaité qu'il écrive pour le Café de la Place ? Ce soir-là, enfin, je savais qu'il y penserait. Me l'a-t-il dit ? Il le dit à Albert Millaire quand celui-ci lui demandera de lui écrire un texte. Ce sera un texte printanier, me confie Albert reconnaissant, qui sera créé en avril qui vient (1979).

Avril pourtant fleurira et la première saison du Café de la Place connaîtra un autre printemps, un autre coup de théâtre qui n'empêchera pas Albert de paraî-tre grognon de ne pouvoir tenir sa promesse. Le projet pourtant est reporté et lui qui vient de fonder sa propre compagnie, se soucie maintenant de l'ouverture de son théâtre d'été près de Québec et souhaite – je le saurai beaucoup plus tard, récemment même – que son ami Roch écrive une œuvre importante pour les membres de sa troupe. Le mai joli arrive. Pour Albert, c'est l'époque des répétitions intensives. Pour moi, c'est le moment de fixer les derniers détails de la programmation de la saison suivante. Je croise, un jour, dans les couloirs de la Place des Arts, toute l'équipe de la Compagnie Albert Millaire. Bises et saluts et, en chœur, toute la troupe m'invite à un enchaînement prochain. J'accepte avec plaisir et, retenant Albert par le bras, timidement, je demande si notre projet tient toujours. Avec sa moue cé-lèbre, l'acteur fait un signe affirmatif et, le chef enfoncé dans les épaules, comme l'enfant espiègle qui roule sa tête dans l'édredon, il suppute toutefois que l'écrivain, lui, n'y pense peut-être plus. Cher Albert, trop impliqué dans l'œuvre à élaborer, il ne peut échafauder un après. Mais y a-t-il un après au théâtre, tant là le présent doit être intense ? Je téléphone sans tarder à Roch Carrier qui, soulagement, a jeté quelques idées sur le papier et l'œuvre déjà amorcée, si elle ne peut plus être teintée aux couleurs d'une époque, le sera au coin de la fan-taisie. Ce n'est que vers juillet que nous pouvons, Albert et moi, envisager par téléphone, une date. C'est au début d'août que je lis *La Céleste Bicyclette* que Roch Carrier m'a fait livrer après l'avoir fait lire à Albert.

Toujours par téléphone, Albert me confie son bonheur, je lui dis ma joie et souligne toutefois que le texte me semble trop court pour faire une soirée d'une durée convenable même pour un café-théâtre. Le dialo-gue qui s'en suit est animé : « Un comédien peut-il tenir un rôle si écrasant, seul sur scène, plus des cinquante minutes environ que va durer la pièce jouée ? Le public va-t-il, lui, sans rechigner, en supporter plus long ?

Cette œuvre ne perdra-t-elle pas de sa force si elle est augmentée ? Peut-on ajouter au programme une autre œuvre ? de qui ? Jouée par qui ? Peut-on dire à un auteur, merci mais c'est court ?…» Albert est de plus en plus navré et moi de plus en plus inquiet. Pour trancher ce nœud, déjà si barbarement qualifié, l'interprète se chargera d'en parler avec l'auteur. Quelques semaines plus tard, une deuxième version – la finale – est déposée sur mon bureau. Je jubile et le texte – s'il se peut – est encore meilleur et dure, à la lecture, près de soixante-cinq minutes. J'ai mon spectacle et quant à la représentation, il faut faire confiance à Albert Millaire et le public, lui, ne s'est pas plaint de la représentation qui durait alors près de quatre-vingt-dix minutes.

Merveille de l'acteur-metteur en scène aux gestes généreux, à la pensée large qui donne aux images du texte, une étendue que l'auteur seul avait pu souhaiter. Merveilleuse alchimie qui fait que des amis se connaissent au-delà des mots et des explications. Merveille du théâtre qui a fait que soir après soir, au sortir du Café de la Place, le public ébaubi, d'un geste de la main, comme un triste adieu, souhaitait pouvoir crier : « hep bicyclette ! » pour héler un taxi. Merveille de la mémoire qui m'a permis, en créant ce texte sur le théâtre que j'ai construit, de dire merci à cet auteur qui, si simplement un jour, m'a permis de m'approcher mieux d'un poète qui est devenu un ami.

Henri Barras

La Céleste Bicyclette[1]

Une production de la Régie de la Place des Arts
Président : Jean-Claude Delorme
Directeur général : Gérard Lamarche

Le Café de la Place
Directeur artistique : Henri Barras
Régie et technique : Jean Benoit
Photographe de production : Jean-Guy Thibodeau

La Céleste Bicyclette
Une création de Roch Carrier
En vedette : Albert Millaire
Assistante à la mise en scène : Denise Dion
Scénographie : Marie-Josée Lanoix
Éclairages : Jean Benoit

---

1. *La Céleste Bicyclette* a été présentée pour la première fois au Café de la Place, à la Place des Arts à Montréal, le 5 décembre 1979.

Une invitation à la fantaisie

Albert Millaire, comédien-vedette de *La Céleste Bicyclette*, définit la pièce comme un « monologue très beau, très simple et très tendre ». S'il refuse de lui accoler une étiquette, c'est pour mieux en saisir toutes les subtilités, tous les demi-tons : « *La Céleste Bicyclette*, dit Albert Millaire, c'est fantaisiste, tragique, charmant, poétique, dramatique. Je ne porte pas de jugement sur le personnage. Je fais corps avec lui, j'y crois terriblement. Au public d'embarquer ou pas. Je dirai cependant qu'il s'agit d'une écriture moderne et d'un personnage d'aujourd'hui, à la recherche, comme nous tous, de bonheur et d'éternité. »

   La Céleste Bicyclette prend la forme d'un monologue, qui dure le temps d'un acte. La pièce s'appuie sur la vie de tous les jours où l'extraordinaire n'est jamais loin, pour nous entraîner, à travers des mots qui jouent avec les mots et selon une logique qui prend ses distances par rapport à la logique, dans un univers où règne la fantaisie. Un homme, rentrant chez lui un soir à bicyclette, sent celle-ci se soulever tout à coup dans les airs ; la bicyclette s'envolera dans le ciel et promènera notre homme, un moment, parmi les étoiles, au-dessus de Montréal.

Revenu sur terre… le personnage se mettra à raconter autour de lui cette histoire que personne ne voudra croire. Ce personnage, auquel l'auteur n'a pas donné de nom, est finalement enfermé dans un hôpital psychiatrique.

C'est de ce lieu qu'il s'adresse à ses visiteurs, les spectateurs en l'occurrence, pour essayer de les convaincre de son équilibre et de la logique de ses pensées. Car, « cet énorme mensonge n'est-il pas plus vrai que toutes les choses les plus vraies ? », comme nous le demande Albert Millaire dans *La Céleste Bicyclette*.

Roch Carrier
un auteur prolifique et populaire

Roch Carrier n'a plus besoin de présentations. Romancier, conteur et homme de théâtre estimé, il a aussi travaillé pour le cinéma et la radio.

Il faisait, dès 1965, une entrée remarquée dans le domaine des lettres : son premier ouvrage, *Jolis deuils*, rem-
portait en effet le Prix littéraire de la Province de Québec.
Roch Carrier a aussi publié (avec grand succès) *La guerre,
yes sir !* (1968), *Contes pour mille oreilles* (Écrits du Canada
français, 1969), *Floralie, où es-tu ?* (1969), *Il est par là, le soleil* (1970), *Le Deux Millième Étage* (1973), *Le Jardin des délices*
(1975), *Il n'y a pas de pays sans grand-père* (1977), et *Les Enfants
du bonhomme dans la lune* (1979)[2].

---

2. Aux Éditions internationales Alain Stanké.

Plusieurs des romans de Roch Carrier, de même que certains de ses contes, furent traduits en anglais : *La guerre, yes sir !*, *Floralie, où es-tu ?*, *Le Deux Millième Étage*, etc. Plusieurs, aussi, furent publiés dans leur adaptation pour le théâtre. C'est en 1970 que Roch Carrier fit ses débuts au Théâtre du Nouveau-Monde avec l'adaptation théâtrale de *La guerre, yes sir !* Cette pièce fut d'ailleurs jouée dans sa traduction anglaise au Festival de Stratford, en août 1972. La pièce avait été présentée en tournée européenne par le Théâtre du Nouveau-Monde en 1971 : France, Suisse, Belgique, Luxembourg, Tchécoslovaquie.

Furent aussi adaptés pour le théâtre les romans *Floralie, où es-tu ?* (1978) et *Il n'y a as de pays sans grand-père* (1978).

Roch Carrier a également travaillé pour le cinéma, en assurant l'adaptation cinématographique de *La guerre, yes sir !* et de *Floralie, où es-tu ?* En 1970, déjà, il écrivait le scénario du film pour enfants *Le Martien de Noël*, un classique du genre. Il travailla pour l'ONF à l'élaboration de deux films : *The Ungrateful Land* et *Le Chandail*.

Albert Millaire
comédien et metteur en scène

Tête d'affiche des plus grandes productions théâtrales au Québec depuis vingt ans, Albert Millaire a toujours été, également, un metteur en scène très en demande, tant au Québec qu'en Ontario.

Quand il fait ses débuts à Montréal, en 1956, Albert Millaire joue d'abord au Théâtre Club, avec Monique Lepage et Jacques Létourneau. Puis, il fonde sa propre compagnie, avec Jean-Louis Millette, Hubert Loiselle et Jacques Zouvi. On y joue, en 1957, le premier Beckett à Montréal : *En attendant Godot*. Par la suite, Albert Millaire jouera à l'Égrégore et au Théâtre du Nouveau-Monde. En tant qu'adjoint à la direction artistique de cette dernière compagnie (avec Jean-Louis Roux), il fera de nombreuses mises en scène à succès, dont *Rhinocéros* d'Eugène Ionesco et *Les Traitants*, de Guy Dufresne.

Ensuite viendra l'aventure du TPQ, compagnie que le comédien-directeur quittera après quelques années fructueuses pour redevenir pigiste.

Plusieurs des rôles qu'il a interprétés au théâtre ou à la télévision sont restés dans nos mémoires. Qui ne se souvient de son Lorenzaccio, de son Hamlet, de son Othello ? À la télévision, Albert Millaire a été très remarqué dans deux séries prestigieuses : *Iberville* et *Le Courrier du roi*. Au cinéma, il a joué dans sept longs métrages.

Le comédien a souvent joué en anglais. À Toronto, il a souvent été invité comme comédien et metteur en scène.

Albert Millaire a aussi fait l'expérience de la scène lyrique (en mai 1973, notamment, il réglait la mise en scène de l'opéra *Manon* pour l'Opéra du Québec) et il a été animateur à la radio.

Il fondait également en 1979 sa propre compagnie de théâtre, la Compagnie Albert-Millaire, dont la première production, fort connue, fut *Trois actrices, un coq*, de Clémence Desrochers.

Denise Dion
assistante à la mise en scène

Denise Dion fit ses débuts dans le domaine du théâtre à Québec, avec le Théâtre du Trident. Au cours de
la saison 1972-73, elle fut secrétaire de production et
assistante à la régie pour trois productions de cette
compagnie : *La Chatte sur un toit brûlant*, *Eva Peron* et *En
pleine mer* et, finalement, *La Mégère apprivoisée*.

En 1973, on la retrouve à l'École nationale de Théâtre. Elle assume la construction des décors, la confec-
tion des accessoires, est accessoiriste et habilleuse à
l'occasion des productions suivantes : *Love Labour's Lost*,
Les Nô japonais et *The Boy Friend*.

Au cours de la saison 1974-75, Denise Dion travaille
surtout au Théâtre du Nouveau-Monde ; elle y sera tour
à tour régisseur et responsable de la recherche des
accessoires. Elle participera à la production de cinq

spectacles de cette compagnie dont *Floralie*, de Roch Carrier et *La charge de l'orignal épormyable*, de Claude Gauvreau. Au cours de la même année, elle est assistante-metteur en scène de deux productions du Conservatoire d'art dramatique de Montréal.

Puis, c'est un retour au Théâtre du Trident pendant deux saisons. Denise Dion y est assistante-metteur en scène et régisseur où encore, selon la production, assume la direction de production.

En octobre 1978, elle conçoit les éclairages et est régisseur d'un spectacle présenté à San Francisco par un groupe d'artistes québécois : *On va vous conter une histoire*. Puis, elle est régisseur de la tournée provinciale de *Cet animal étrange*, de Tchekhov. En avril-mai 1979, elle est assistante à la mise en scène pour la pièce de Jean-Claude Germain mise en scène par Michelle Rossignol : *Dédé Mesure*. Enfin, de mai à novembre 1979, elle est responsable de l'aspect technique de *Trois actrices, un coq*, une production de la Compagnie Albert-Millaire.

Marie Josée Lanoix
responsable de la scénographie

Marie-Josée Lanoix fit ses études au Cégep Lionel-Groulx, où elle se spécialisa en option théâtre (production et conception). Entre 1971 et 1976, elle fut metteur en scène, décorateur-costumier, ouvrier au décor et au costume, assistante aux costumes et au décor, dans une quinzaine de productions du Cégep Lionel-Groulx.

À partir de 1976, elle travaille beaucoup pour la télévision. Elle fut accessoiriste de plateau pour Interimage pendant les trois séries des *Trouvailles de Clémence*. Pour la même compagnie, elle fit d'ailleurs quelques autres émissions et des messages publicitaires. Par la suite, chez Inter-vidéo, elle fit la conception des décors, des costumes et des accessoires de plusieurs messages publicitaires. Chez Gilles Sainte-Marie et associés, Marie-Josée Lanoix assuma la conception et la fabrication de quelques décors, costumes et accessoires pour la série *Bonjour, comment mangez-vous ?*

Au mois d'avril 1980, elle a conçu les décors de la série *Au fil de la semaine*. En juillet, août et septembre, elle fut régisseur de plateau pour cette même série. Au mois d'août, à Radio-Québec, elle a conçu les costumes de la série de spectacles à Camp Fortune.

Son expérience au théâtre remonte à juin 1976. On la retrouve successivement machiniste aux Fêtes de la Saint-Jean, responsable des décors pour une création collective de l'Organisation O, conceptrice des décors et des costumes de la pièce de Denise Boucher, *Les fées ont soif*. En juin 1979, elle concevait les décors et costumes pour *Trois actrices, un coq*, de Clémence Desrochers, pièce présentée par la Compagnie Albert-Millaire au Lac Beauport. Au mois de septembre, elle a conçu les costumes de *La Scouine*, une production de la Nouvelle Compagnie théâtrale.

Comment j'ai écrit

La Céleste Bicyclette

L'on me demande souvent : pourriez-vous écrire sur commande ? Je donne la réponse que donnait Monsieur Yves Thériault : « Un écrivain n'a jamais assez de commandes... Molière écrivait sur commande... »

La Céleste Bicyclette a été écrite sur commande. Voici comment cela s'est passé.

J'écrivais, depuis plusieurs mois, un roman. C'était un sujet tout à fait nouveau pour moi. Par un cheminement que je ne raconterai pas ici, je délaissais cette belle réalité rabelaisienne, qui a inspiré la plupart de mes écrits, pour une autre réalité moins épaisse, moins tangible, disons : la réalité spirituelle. J'étais complètement happé par ce roman qui se faisait et qui me faisait. Je ne pensais qu'à mon personnage Prudent B. Pépin, un agent d'assurances touché par un message céleste. Comme mon personnage, j'étais fasciné par le ciel. Dans ma campagne d'alors, je marchais des nuits entières sous un ciel rempli de signes lumineux que, comme Prudent B. Pépin, je n'arrivais pas à déchiffrer. Mon personnage et moi, devant cette écriture lumineuse du ciel, étions illettrés. Pourtant je savais que ce message d'ombre, de lumière et de mouvement s'adressait à moi. Il me disait ma place et mon rôle dans cet univers si immense et si incompréhensible. Comme Prudent, je n'étais qu'un personnage de roman. J'obéissais à la fantaisie de son Auteur. Chaque jour, je retournais à ma table et je m'efforçais de devenir auteur à mon tour. Je sentais vaguement que, pour moi, j'avais entrepris plus qu'un roman.

C'était l'hiver 1979. Henri Barras, cet extraordinaire animateur culturel, venait d'ouvrir à la Place des Arts un petit théâtre qu'il avait nommé le Café de la Place. Il avait invité Albert Millaire à y jouer Musset. Dès mon arrivée dans ce théâtre, pour y voir la pièce, je compris que Montréal avait besoin de ce lieu ; là, on pourrait jouer ce qui ne pouvait l'être ailleurs ; là, les auteurs pourraient écrire un théâtre différent ; je voulais écrire pour le Café de la Place.

Après la représentation, je vis Albert Millaire. Il avait mis en scène ma première pièce, *La guerre, yes sir !* J'étais alors un dramaturge sans expérience. Grâce au travail d'Albert Millaire qui avait réuni une vingtaine d'acteurs de qualité à qui il insufflait une joie de jouer sans pareille, cette pièce fit un petit tour du monde. Il avait aussi mis en scène *Il n'y a pas de pays sans grand-père*, présenté à la Compagnie Jean-Duceppe.

—Roch, me dit Albert Millaire, le temps est venu d'écrire une pièce pour moi. Nous sommes en hiver ; ce sera bientôt le printemps ; nous avons ici une scène ; je serais libre pour jouer au printemps. Alors pourquoi n'écrirais-tu pas une pièce sur le printemps ?

—Ça tombe bien. J'ai envie d'écrire pour ce théâtre. J'ai envie d'écrire pour toi. Le printemps, c'est un thème formidable. Donne-moi un mois et je t'apporte le texte.

Je me mis au travail. Un jour, deux jours ; une semaine, deux semaines ; un mois… Mon texte sur le printemps n'avançait pas. Il faut vivre ce que j'écris et je ne vivais pas le printemps. Plus j'y pensais, plus je détestais le printemps. Seules m'intéressaient les préoccupations de Prudent B. Pépin. Chaque fois que je pensais au printemps, Prudent venait me rappeler sa fascination pour les petits feux qui, là-haut, brûlent dans la nuit inconnue.

Il faisait froid. C'était un dur hiver. Déçu, découragé, je dus, avec tristesse, annoncer à Albert Millaire que j'étais incapable de lui donner ce texte sur le printemps. C'était pour moi un échec important mais je n'en souffris pas, tant j'étais pris par Prudent B. et ce roman dont j'avais trouvé le titre : *Les fleurs vivent-elles ailleurs que sur la terre ?* La neige tombait. Le vent soufflait. L'on a beau philosopher sur les secrets célestes, c'est sur la terre que l'on vit. Dans mon pays, l'hiver, il faut pelleter la neige souvent. J'allais souvent prendre la pelle dans le garage où rouillait ma vieille bicyclette.

Là se joua une opération magique qui souvent fait un roman. Cette bicyclette, que j'avais toujours négligée, commença à prendre de l'importance. Je ne voyais qu'elle dans le garage encombré. Je me demandais pourquoi je ne voyais qu'elle. Depuis que j'écrivais mon roman, attentif que j'étais aux mystères et aux signes, plusieurs faits étranges avaient ponctué ma vie et mon écriture. Dans le garage, la bicyclette me parut douée de vie. Les autres objets entassés semblaient morts, gelés par l'hiver, mais un secret printemps animait ma bicyclette. C'était un signe. Je devais l'incorporer à mon roman.

Prudent B. Pépin refusa de monter à bicyclette. Il ne voulut pas ajouter ce vertige à l'autre vertige, qu'il connaissait, cosmique. La bicyclette, elle, refusa de rester dans le garage. Je l'y repoussais mais elle ne voulait pas s'y laisser oublier. Elle exigeait que j'écrive d'elle. Une journée, je ne pouvais plus refuser, je devais me soumettre ; je décidai de donner congé à Prudent B. et à moi-même. Je commençai un texte dans lequel la bicyclette allait être un personnage important.

À partir de ce moment, j'oubliai *Les fleurs vivent-elles ailleurs que sur la terre ?* D'un trait, en quelques jours, j'écrivis *La Céleste Bicyclette*. Puis je repris mon roman au point où je l'avais abandonné. Cette pièce forme une parenthèse dans le roman. Certains lecteurs attentifs ont trouvé la page exacte du roman où j'avais commencé d'écrire *La Céleste* (comme les habitués l'appellent).

J'expédiai mon texte à Albert Millaire et la suite est de la magie, c'est-à-dire du théâtre.

Ce fut du travail aussi. Félix Leclerc dit quelque part que le succès et la réussite sont frères jumeaux. Rien ne ressemble plus à un échec qu'une réussite. Rien n'est facile. Plus quelqu'un a du génie, plus c'est difficile : je me souviens qu'un moment, pendant les répétitions, Albert Millaire était si épuisé, si inquiet, avait si peur qu'il avait décidé de briser son contrat avec le théâtre et de disparaître à l'hôpital. L'échec était inévitable et il n'y avait pas d'autre moyen de le fuir. Moi, l'auteur, j'étais d'accord avec lui. Ce texte était injouable ; il allait nous mener à un four catastrophique. Henri Barras a refusé de cesser de croire.

Les spectateurs sont venus et ils ont fait qu'Albert Millaire n'avait jamais été un aussi grand acteur et que mon texte, ma foi, n'était pas sans qualité…

26 juillet 1985
Roch Carrier

Extraits de la critique

« La scène à la CSN...

Après avoir vainement essayé pendant plusieurs minutes de jouer par-dessus les cris des membres du Syndicat des placeurs et des ouvreuses de la Place des Arts, qui défilaient à l'extérieur du local du Café de la Place en scandant des slogans, Albert Millaire a dû s'avouer vaincu et a dû interrompre hier soir la première de *La Céleste Bicyclette*, une nouvelle pièce de Roch Carrier qui doit, en principe, garder l'affiche jusqu'au 19 janvier 1980.

" Pour jouer la comédie, devait déclarer Millaire, avant de se retirer en coulisses, il faut un minimum d'entente. Et comme celle-ci n'existe pas ce soir, je cède la scène à la CSN. "

On sait que le Syndicat des placeurs et des ouvreuses de la Place des Arts est actuellement en train de négocier le renouvellement de sa convention collective échue depuis onze mois. La manifestation d'hier soir entrait dans le cadre des moyens de pression utilisés pour accélérer la conclusion d'une entente.

Retardé d'une vingtaine de minutes, le spectacle devait être perturbé vingt-cinq minutes plus tard aux cris de " Convention, oui : Lock-out non ! ", " Ouvreurs et ouvreuses en lock-out ! ".

En contre-attaque, Albert Millaire, qui était seul en scène, a bien tenté d'élever la voix et de s'assurer une meilleure connivence de la salle, composée en grande partie de comédiens et de journalistes.

Mais les jeux étaient faussés, le comédien ne pouvant, d'une part, combler les silences normaux du texte constamment brisés par les cris venant de l'extérieur et, d'autre part, au fur que le temps passait, il devenait évident qu'il n'était plus capable de maintenir la concentration minimale qu'il fallait pour interpréter convenablement un texte passablement difficile.

Si ce genre d'incidents devaient se répéter – l'auteur de *La Céleste Bicyclette* nous informait hier que la générale de mardi avait été troublée de la même façon – la direction de la Place des Arts et du Café de la Place serait bien avisée de suspendre les représentations. »

La Presse, 6 décembre 1979

"Every man knows the sensation of feel perfectly insignificant when he looks up at the stars. We are minute and, like leaves on a tree, attached to the earth only for a season.

The wedding of the text and the performance is so complete that Millaire has even incorporated some of the author's personal mannerisms in the character, a way of using the hands as if to draw out meaning bodily from one's being.

There is little one can say further about the text without stealing from the pleasure of seeing it, or damaging it with excessive paraphrasing. Millaire's delivery is positively orchestral.

It may be self-evident that, without dreamers such as Carrier's hero, man never would have achieved flight or sent pictures and sounds around the globe or walked on the moon, but it is always uplifting to be reminded of it, especially by two poets of the stage."

Maureen Peterson
The Gazette, 8 décembre 1979

« Tout heureux d'avoir retrouvé un auditoire – chassez le cabotin et il revient au galop – l'acteur de *La Céleste Bicyclette* prend un plaisir évident à nous raconter sa vie et à essayer de mettre de l'ordre dans ses théories physiques et métaphysiques : l'attirance des corps, la place de l'homme dans l'univers, la parenté entre le théâtre et la politique, etc., tout y passe.

Newton, Pascal, Einstein et Machiavel se disputent l'avant-scène de ce cerveau fêlé en ébullition. Toqué, notre acteur l'est au plus haut point ; mais c'est un toqué sympathique qui a le bonheur (ou le malheur c'est selon) de ne pas l'ignorer.

Tantôt tragique, tantôt drolatique, par moments abattu, à d'autres fébrile, il est souvent émouvant : sa détresse empêtrée et incohérente rejoint malgré tout quelques-unes des vieilles hantises de l'humanité souffrante. »

Martial Dassylva,
La Presse, 9 janvier 1980

« Chacun le sait maintenant, les pièces à un personnage sont l'occasion de voir à la loupe le véritable souffle intérieur d'un acteur [...] Mais ces moments-là sont rares. Les acteurs de leurs côtés n'ont alors rien pour se raccrocher que la force de leur projection intérieure, le bon appui du texte et l'équilibre de leurs charges émotives. Albert Millaire, après tant d'années à naviguer en croisières de groupes, a dit oui à l'offre de Roch Carrier et parle actuellement de " céleste bicyclette " au Café de la Place des Arts. Un texte constellé d'étoiles qui dérive des thèmes à la mode, un acteur brillant comme à une naissance et un lieu qui a tout pour réchauffer; telles sont probablement les trois bonnes raisons pour réserver son siège, attacher sa ceinture et se préparer au rêve que Carrier sait si bien manier. »

Dimanche-Matin,
16 décembre 1979

Table des matières

Collection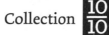